LA REINE DES FOURMIS A DISPARU

texte de Fred Bernard

illustrations de François Roca

D1509755

MAGNARD

QUE D'HISTOIRES !
CE2

« *Que d'histoires ! CE2* »
animée par Françoise Guillaumond

Conception graphique :
Delphine d'Inguimbert et Valérie Goussot

© Éditions Magnard, 2004 pour la présente édition
5, allée de la 2ᵉ D.B. 75015 Paris
www.magnard.fr
© Éditions Albin Michel Jeunesse, 1996.

L'album **La reine des fourmis a disparu**,
illustré en couleurs,
est disponible aux éditions Albin Michel Jeunesse.

« On a enlevé notre reine ! »

Ce cri résonne dans ma tête comme dans celle de milliers de fourmis et il me semble qu'il hante encore les galeries de la fourmilière.

Notre reine, notre mère à tous, a disparu dans l'épaisse forêt tropicale qui nous entoure. Autant chercher une aiguille dans une meule de foin, dira-t-on ! Et c'est moi, Mandibule de Savon, qui suis chargé de l'enquête. Je suis à la fois détective et représentant de la loi de la jungle au sein de la tribu des fourmis rouges. Ma mission : mettre la patte sur celui ou celle qui a enlevé notre très chère reine pendant la nuit. Pour me seconder dans mes recherches, on m'a confié un jeune assistant : Élytre de Lait. Moi, je l'appelle Élie, tout court.

Pour le moment le mystère est entier... Heureusement, un indice m'a déjà mis la puce à l'oreille. Il s'agit d'un poil, un poil perdu par l'agresseur, sans nul doute. Je l'ai découvert dans la chambre de la reine parmi les débris du plafond.

Mais à qui peut appartenir ce fameux poil ?

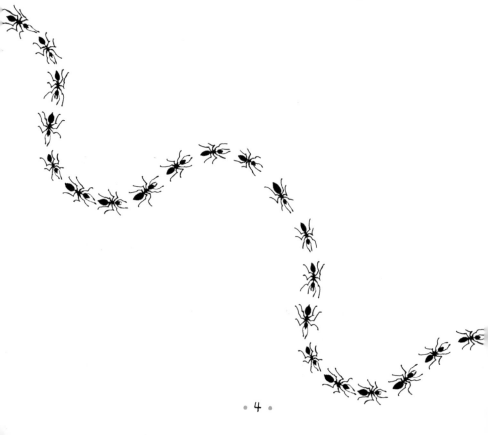

Mon acolyte a pensé immédiatement aux Indiens qui viennent parfois chasser alentour. Certes, ils se nourrissent de grosses larves blanches et autres insectes, mais ils ont des cheveux noirs et raides, et n'ont jamais eu un poil au menton. Élie a encore beaucoup à apprendre – soit dit entre nous –, c'est pour cette raison qu'il est mon assistant.

Dans un premier temps je décide d'aller voir Socrate, le gros singe, et sa bande qui logent au-dessus de notre camp. Ce vieux sage un peu fou a bien toutes sortes de poils sur le dos, les mains, les fesses et le nez. Mais aucun d'entre eux ne ressemble à notre poil. Mon assistant l'interroge mais Socrate n'a rien remarqué cette nuit-là. Il a dormi comme un loir, ce qui n'a rien d'étonnant pour un vieux singe de son espèce. Notre enquête s'annonce plus compliquée que prévu. Nous allons devoir élargir notre périmètre d'investigation.

Élie et moi allons donc au « Bar des pucerons » pour poser quelques questions. Toutes les fourmis rouges qui s'y trouvent sont persuadées que ce sont les fourmis noires qui ont fait le coup. Merci les gars, mais ce serait un peu trop simple. Ces fourmis-là ne voient pas plus loin que le bout de leurs antennes et puis on ne leur connaît pas d'autres poils que celui qu'elles ont dans la patte.

Après un petit verre pour nous donner du courage, nous allons rendre visite, un peu à reculons, à notre ennemi juré, Édouard, le tamanoir. L'entrevue est courte car sa langue est longue... Nous avons juste le temps de nous esquiver et de conclure que ses poils n'ont vraiment rien à voir avec le nôtre.

Sur la route qui nous mène chez les rats, nous croisons la panthère noire qui, comme son nom l'indique, n'a aucun poil de couleur claire. Ça ne peut donc être elle. Elle passe son chemin sans même nous adresser le regard chavirant dont elle a le secret, et ignore souverainement les questions d'Élie. Voilà certainement l'animal le plus fier de la forêt !

Élie m'apprend que les plus grandes familles de puces se battent pour vivre sur son dos. Seules les puces de haute lignée ont le privilège de loger dans son soyeux pelage noir. Les autres se contentent qui d'un cochon, qui d'un rat et finalement se retrouvent dans le ventre de la panthère.

Nous arrivons justement à l'entrée des galeries des rats. Un boa splendide s'en échappe. Nous restons un moment émerveillés par les magnifiques dessins que forment ses écailles. Tout le monde sait que les serpents n'ont pas de poils... mais Élie m'affirme qu'une légende indienne parle d'un serpent à plumes. Il m'énerve quand il étale sa science ! Nous attendons que son long corps ait fini de défiler devant nous pour nous introduire dans le souterrain. Le terrier est vide. Le boa vient de dévorer toute la famille des rats, et les poils qui gisent sur le sol sont beaucoup plus courts que le nôtre.

Vient ensuite le tour d'Émir, le tapir, qui vit près de la rivière. Mais ses poils creux qui l'aident à flotter dans l'eau sont énormes à côté de notre poil. J'en profite quand même pour interroger une de ses puces. Elles s'y connaissent, en poils ! Mais celle-ci n'a jamais vu un poil pareil.

Mon assistant me fait remarquer qu'on n'est pas sortis de l'auberge ! Il m'agace !

Je pense alors aux bébés jaguars qui vivent dans les arbres, de l'autre côté de la rivière. Ils ont des petits poils clairs.

Nous sautons sur une feuille qui passe au fil de l'eau et nous accostons sur l'autre rive. Les bébés jaguars sont là qui barbotent entre les racines des grands arbres, sous l'œil vigilant de leur mère. Mais ce ne sont pas encore les bons poils : trop brillants, trop soyeux...

Nous rentrons bredouilles et déçus au camp et passons la soirée au «Bar des pucerons». Mon assistant me rappelle que nous ne pouvons pas vivre longtemps sans notre reine mère. Déjà le manque de naissances se fait sentir car elle pond quelques 142857 œufs par jour. Les fourmis noires pourraient en profiter pour nous attaquer. Il a raison, le petit imbécile! Qu'est-ce qui lui prend de raisonner si bien? Après quelques gouttes d'alcool de puceron, je réalise que c'est moi l'imbécile, et le gros! Nous sommes en train de passer en revue tous les mammifères alors que je connais des insectes qui ont eux aussi des poils. Apollon, le grand papillon de nuit, a plein de poils et ses enfants, les chenilles, en sont couverts.

La nuit est tombée depuis un moment, il n'y a pas un instant à perdre. Apollon est là, qui tournoie devant la lune. Nous grimpons au sommet du plus grand arbre et lui demandons d'approcher. Les grands yeux dessinés sur les ailes m'impressionnent mais je fais mine de rien. Étonné par notre demande mais fier de sa véritable fourrure, si rare chez les insectes, il consent à nous montrer ses poils. Encore raté ! Ils sont bien plus fins et légers que le nôtre.

Je demande à voir ses chenilles. Mais le grand papillon me prévient que leurs poils sont très urticants. Or le nôtre ne gratte ni ne pique. Apollon et ses enfants sont bien innocents. Il demande, à tout hasard, si nous avons rendu visite à Ursule, la tarentule. La tarentule : la plus grande araignée de la forêt, la plus poilue et la plus dangereuse aussi... Je l'avais oubliée, celle-là !

Chemin faisant, Élie avoue qu'il avait pensé à la tarentule dès le début mais qu'il n'avait pas tellement envie de la voir de près. Je ne réponds rien. Ce n'est pas le moment de craquer.

Ursule la tarentule loge sous une vieille souche couverte de ses toiles d'araignée. Mon fidèle assistant prétexte de garder l'entrée pendant que je m'avance dans l'antre, en évitant soigneusement les fils collants. Huit yeux brillent dans l'ombre et m'interrogent. Je m'explique. Plus inconscient que courageux, je demande à Ursule de voir les poils qui couvrent son énorme abdomen. Ursule se révèle sage et compréhensive. Elle est triste car elle n'a pas revu son mari depuis deux jours. Il a disparu, lui aussi.

Dépité, je rejoins Élie qui m'attend tout tremblant. Il est fier de moi, comme si je n'avais peur de rien. En fait, je réalise que ma mission est un échec...

Je vais m'asseoir sur la corolle d'une orchidée et regarde machinalement la colonne des ouvrières. Élie me rejoint.

Les fourmis travaillent inlassablement sans se poser de questions. Elles accumulent des milliers de vivres dans les réserves et des brindilles pour la construction de la fourmilière. Tout à coup, je remarque que certaines d'entre elles transportent d'étranges choses.

Je m'élance et cours le long de la colonne, remontant le courant des ouvrières qui traînent des petits objets inconnus.

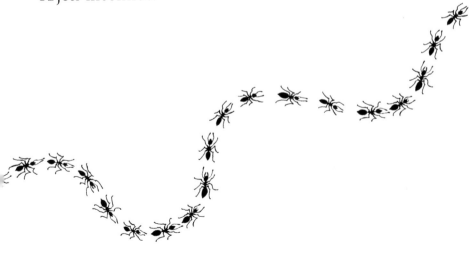

Élie me suit avec le poil. Mon sixième sens, qui jusqu'ici m'avait laissé tomber, m'indique que je suis sur la bonne voie. Tout à coup, je débouche sur une immense rivière de terre rouge dont la surface est couverte de marques bizarres.

Les ouvrières viennent d'ici...

Tout autour, c'est la désolation. Je n'ai jamais vu une chose pareille. Que s'est-il passé ? Qui a saccagé la forêt ?

Mon assistant me fait signe. Il vient de trouver un poil identique au nôtre. Nous voilà avec deux poils sur les pattes, le long d'une cicatrice de terre qui file à perte de vue dans la forêt, et toujours pas de solution concrète à notre problème.

Cette affaire me dépasse. À mon avis le conseil des sages devrait se réunir pour choisir une nouvelle reine au plus vite, parmi les jeunes princesses.

Quelque chose est passé ici et a emporté notre reine mère... Quelque chose de terrible, de bien plus dangereux que les fourmis noires, la tarentule et le tamanoir réunis. C'est mon sixième sens qui me le dit.

Mon assistant me demande ce que nous allons faire maintenant. Il nous faut réfléchir... Tout à coup, un vol de perroquets multicolores décolle à la lisière de la forêt saccagée en même temps qu'une idée brillante traverse mon esprit. D'instinct, je sais qu'il nous faut remonter la cicatrice de terre par la gauche !

Nous marchons des heures dans ce qui nous semble être l'empreinte d'un gigantesque serpent aux écailles saillantes. Le soleil tape dur dans ce désert de terre pour des fourmis habituées à vivre dans l'ombrage et l'humidité de la forêt vierge. Je conseille à Élie de se munir d'une feuille d'arbre et de la porter à la manière d'une ouvrière, afin de nous protéger des rayons brûlants.

Une nuit d'encre vient de remplacer rapidement la lumière vive de la journée lorsque des ombres inquiétantes nous font stopper net. Un frisson glacé nous traverse à la vue de ces énormes bêtes, de ces insectes immenses qui se dressent vers les étoiles, immobiles, comme hypnotisés ou bien morts.

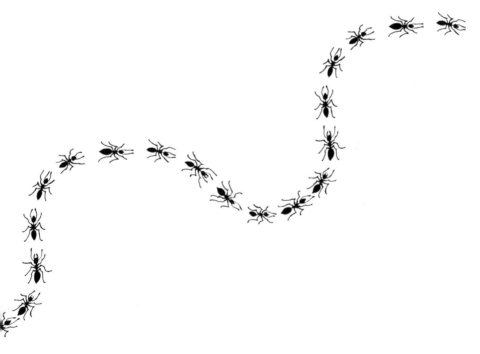

Ils ont des mâchoires et des dents effrayantes, des pattes bizarres, une petite tête au bout d'un long cou levé vers le ciel à la façon d'une mante religieuse. Nous nous approchons... Enfin, je m'approche ! Car Élie reste caché sous sa feuille, pétrifié sur place.

La carapace des monstres est extrêmement dure et froide. Ces gros insectes sont bien morts. À moins que ce ne soient leurs chrysalides ou leurs mues abandonnées et qu'ils soient partis sous d'autres cieux, à la façon des papillons, des libellules ou des cigales... Je fais signe à mon froussard d'assistant de me suivre.

Une petite lumière brille près d'ici. Nous nous faufilons vers elle, entre les monstres menaçants. Elle provient d'une petite cabane faite de la même matière que les monstres.

Je sens soudain l'odeur d'un chien, un gros chien jaune qui dort devant la cabane. Nous nous glissons dans son épaisse fourrure, bien décidés à passer le reste de la nuit au chaud. Il y a là quantité de puces tellement gavées et repues qu'elles sont incapables de répondre à nos questions.

Le soleil rose se lève. Le chien jaune aussi. Un homme sort de la cabane. Il a la peau blanche et une seconde peau en tissu qui lui couvre le corps : un Indien blanc comme jamais je n'en ai vu... Il bâille, se gratte la tête puis donne un coup de pied aux fesses du chien. Le chien grogne, se gratte... et nous voilà par terre devant sa grosse truffe humide. Je l'interroge aussitôt au sujet de l'interminable trace dans la terre et des monstres qui nous entourent.

Il me répond alors dans un charabia incompréhensible. Tous les mots y sont mélangés et mal articulés, les verbes à l'infinitif. Oh là là ! J'avais complètement oublié qu'au contact des hommes, les animaux perdent peu à peu l'usage de la parole ! J'en profite pour expliquer à Élie comment un animal domestique relâché dans la nature est incapable de communiquer avec les autres animaux.

Il se laisse bien souvent mourir de tristesse et de faim.

C'est donc péniblement que le chien nous livre une information de toute importance pour mon enquête : la seule chance que nous ayons de retrouver notre chère reine, c'est de monter dans l'engin où tous les animaux capturés par les hommes de la cabane sont rassemblés.

Le chien semble sincère. Pour lui, pas de doute possible, notre poil appartient à un Indien blanc comme ceux qui le nourrissent et lui donnent des coups de pied aux fesses tous les matins. Reste à trouver le bon !

Nous y voilà ! L'engin est rempli de caisses et de cages, il ressemble à un oiseau. Élie est fier de m'apprendre que les Indiens de la forêt parlent souvent entre eux d'un oiseau de fer qui les effraie et les fascine à la fois. Mais où va-t-il chercher tout ça ! Il doit avoir des oreilles partout !

Les animaux sont tenus prisonniers dans des cages, ils sont terrorisés ou résignés et nous écoutent parler, sans dire un mot. Soudain, l'oiseau de fer se met à trembler et à avancer de plus en plus vite. En fait, il s'agit bien d'un oiseau car bientôt nous quittons le sol et nous nous envolons pour une destination inconnue. Les singes et les oiseaux s'agitent et crient. Je ne suis pas très rassuré non plus... Inquiet certes, mais émerveillé, ô combien !

La forêt est magnifique vue d'en haut. La ligne de terre rouge paraît bien ridicule comparée au fleuve qui trace son chemin à travers l'épaisse forêt. Il ressemble à un énorme serpent sombre et sinueux. Sa surface brille sous le soleil du matin. L'oiseau de fer vole plus haut que l'aigle, plus vite que le faucon et c'est sans doute aussi le plus vorace des rapaces si je me réfère à tous les animaux prisonniers de son ventre.

Tous se sont tus maintenant. Reste le vrombissement de l'oiseau. Car c'est aussi le plus bruyant des oiseaux. Et ce n'est pas fait pour diminuer la panique qui règne parmi les animaux captifs. Où les emmène-t-on ? Et pourquoi ? Notre reine est-elle encore en vie ? Sommes-nous au moins sûrs de la trouver, là où nous allons ? Élie s'interroge, m'interroge, interroge les prisonniers. Mais nul ne peut répondre à ses questions. Il m'avoue aussi que, sans moi à ses côtés, il serait mort de peur depuis longtemps. Il trouve que je suis un détective formidable. Il est très bien, ce petit !

Pendant ce temps, le paysage a complètement changé. Le fleuve est toujours là mais les arbres ont été remplacés par d'innombrables constructions comme autant de fourmilières géométriques. L'oiseau de fer perd de l'altitude. Nous approchons vraisemblablement du but.

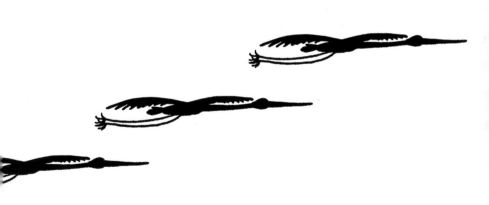

L'oiseau s'est posé en douceur. Des Indiens blancs recouverts d'une seconde peau orange ouvrent son ventre de métal. Vite ! Nous nous cachons dans une caisse ! Nous n'y voyons plus rien, mais nous sentons qu'on nous transporte ainsi que tous les autres animaux qui s'agitent à côté de nous. Nouveau vrombissement. Nouvel arrêt. Déchargement. Et terminus, tout le monde descend ! Nous jetons un œil dehors : tout est gris, pas un arbre, pas une feuille. Partout d'immenses fourmilières carrées. Les Indiens blancs vivent comme les fourmis, mais dans une jungle de béton. Rien à voir avec nos Indiens de la forêt !

À ce stade de l'expédition, je me dis : « Mandibule de Savon, te voilà en pleine science-fiction. Finis les entrelacs de liane ! Tu n'es plus chez toi ! Il va falloir faire preuve de jugeote et d'intuition pour retrouver ta chère reine ici... »

Et hop ! En route pour visiter ce dédale mystérieux. Nous avons à peine quitté le lieu où les
caisses sont entreposées que nous tombons sur une
bande de cafards en vadrouille. Dégoûtants mais
sympathiques, ils nous indiquent illico la salle où se
trouvent tous les animaux exotiques. On dirait que
la roue a tourné... Et si la chance nous souriait
enfin !

Nous passons devant un gardien qui n'a pas l'air
commode. Il veille devant la porte comme une
fourmi soldat à l'entrée des galeries. Au bout d'un
long couloir et de quelques petites pièces sombres
s'ouvre une immense salle. Nous sommes à peine
dépaysés tellement ce bâtiment ressemble à une
fourmilière géante.

Par le poil mystérieux, que vois-je ?
Des dizaines d'animaux de toutes sortes sont là, alignés bien sagement. L'interrogatoire va être long. Le poil appartient peut-être à l'un d'entre eux ? Pour gagner du temps, mon assistant et moi posons nos questions chacun de son côté. Mais pas plus le lion que l'éléphant, la gazelle que la hyène, le crocodile que le tatou, nul ne daigne répondre ! Auraient-ils perdu leur langue ?

« La langue et tout le reste ! » répond une voix derrière moi. Une petite souris grise m'affirme que tous ces animaux sont morts depuis longtemps. Il ne reste plus que leur peau et leurs poils, leurs yeux sont en verre et leur corps est rempli de paille ! Elle en a d'ailleurs profité pour faire son nid tout là-haut, dans la tête de la girafe, pour échapper aux attaques du chat qui hante les lieux.

«C'est que moi je ne peux pas m'enfuir en volant comme Coco, le toucan !» dit-elle.

Soudain, une ombre élancée se profile sur le mur où se sont posés à tout jamais des centaines de papillons. C'est le chat qui approche. Au moment où j'aperçois ses grandes moustaches blanches, je ne vois déjà plus que la petite queue rose de la souris.

Accablé par le spectacle de tous ces animaux empaillés, je rejoins Élie. Il est en train de s'énerver après un petit singe muet qui regarde dans le vide.

«Allez viens, inutile d'insister ! On a dû réserver à notre regrettée reine le même sort qu'à tous ces papillons épinglés sur le mur !»

C'est en cherchant la sortie, la tête basse, que mon assistant trouve un nouveau poil, identique au nôtre. Puis, sur le dallage d'un couloir, un deuxième poil. Puis un troisième encore ! La piste nous guide ainsi jusqu'à une petite pièce mal éclairée, remplie de vitrines et d'objets bizarres. Un vieil Indien blanc est assis là. Il a des poils plein le menton ! Les mêmes que le nôtre ! C'est lui le kidnappeur de notre reine !

Nous grimpons sur le bureau et là, devant nous, trônant dans une cage de verre : notre reine ! Vivante ! Notre reine est vivante !

L'homme au menton poilu l'examine avec intérêt, sous tous les angles. C'est vrai qu'elle est belle, notre reine ! Mais sait-il qu'elle est mille fois plus précieuse pour nous que pour lui, car nous sommes des milliers à espérer son retour ! Mais attention, prudence ! Il ne s'agit pas de se faire repérer si près du but... Élie et moi nous regardons, il m'a compris : nous attendrons que l'homme et ses poils au menton quittent la pièce pour nous montrer à visage découvert.

Enfin, la voie est libre ! La reine nous reconnaît aussitôt. Elle jubile et fait des petits bonds dans sa prison de verre. Elle nous prie de l'aider à sortir de là. La force des fourmis rouges n'est pas une légende et bientôt nous avons suffisamment soulevé la cloche de verre de son socle pour que la reine puisse se glisser jusqu'à nous. La reine est enfin libérée ! Nous quittons vite le laboratoire et remontons les grands couloirs le long des vitrines, des animaux empaillés et des squelettes.

La reine, aux anges, ne tarit pas d'éloges et nous promet de belles récompenses. Je ne sais pas ce qu'elle entend par là et je n'ose pas lui demander. Mais l'heure n'est pas encore aux réjouissances. Nous sommes loin de chez nous et il est trop tôt pour crier victoire.

Nous repassons par la grande salle des animaux exotiques en silence, impressionnés par le nombre de bêtes enlevées à la forêt.

« Coco ! Coco ! Coco ! Coco ! Coco ! Coco ! Coco ! »

Un toucan avec son bec énorme et coloré vole vers nous. C'est sûrement Coco le toucan ! Notre reine le reconnaît aussitôt et nous explique que c'est la mascotte du musée. Le pauvre est enfermé ici depuis de nombreuses années et les hommes l'ont rendu fou : il ne sait plus dire que son nom, Coco. Coco ! Coco ! Coco ! Il va nous faire repérer s'il ne se tait pas tout de suite ! Il abandonne le dos du rhinocéros et se pose devant nous. Il nous observe de près, intrigué.

Le vieux barbu entre dans la pièce et il s'approche de Coco, un fruit bien mûr à la main.

Mon assistant me tire par la patte. Il m'indique discrètement le dos du toucan. Mais où veut-il en venir ? Élie me chuchote à l'oreille qu'il faut faire confiance à l'instinct de Coco, qu'il est notre seule chance de revoir la forêt. Mais oui ! Évidemment ! Il a sûrement raison ! Je lui tape dans le dos puis j'aide notre reine à grimper sur le plumage de l'oiseau.

L'homme est tout près et se penche vers Coco. Il lui tend le beau fruit juteux. Mais il a dû nous apercevoir car il réajuste ses lunettes sur son nez et écarquille les yeux en reconnaissant notre reine. Il lâche son fruit qui roule au pied du rhinocéros et essaie d'attraper son toucan... L'oiseau, apeuré, s'envole vers le plafond où pendent d'immenses squelettes de baleine.

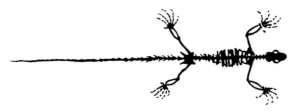

L'Indien barbu nous poursuit à travers toute la salle, bientôt rejoint par le gardien pas commode de l'entrée qui a entendu le raffut. Coco panique, vole dans tous les sens, entre les cornes et les oreilles des animaux pétrifiés indifférents au tapage. Il finit par se cogner à une fenêtre ! Il s'égosille : « Coco ! Coco ! Coco ! Coco ! » et échappe de justesse aux grandes mains du gardien, dans une envolée de plumes noires. Il tente de s'enfuir par une autre fenêtre. Il prend de l'élan et vlan ! brise la vitre de son gros bec. Il se retrouve dehors et nous avec !

« Sous l'effet de la peur, le toucan retrouve toujours son instinct d'oiseau libre », nous explique Élie. Celui-là, il m'épate !

Maintenant, Coco vole au-dessus des toits et le vieil homme crie le nom de sa mascotte les bras levés vers le ciel. Il n'est déjà plus qu'un tout petit point ! Nous nous accrochons aux plumes du toucan. Coco file sous le couvercle des nuages, file au-dessus de la ville. Je lis encore la peur dans ses yeux vifs. Mais il ne crie plus, on dirait qu'il vient de se réveiller. Le plus lucide des toucans vole droit vers la forêt, d'instinct !

Notre reine rayonne de bonheur et me félicite. Elle se croyait perdue. Je renvoie, à juste titre, les honneurs à mon assistant et au toucan. Sans la grande idée de dernière minute d'Élie et sans l'instinct de Coco, nous serions encore prisonniers du musée !

Ce ne sera d'ailleurs plus un assistant qui accompagnera désormais Mandibule dans ses enquêtes, mais un associé de valeur !

Mon assistant... pardon, mon associé, très ému par mes paroles, laisse alors échapper le fameux poil, devenu inutile. De tout le voyage, il ne l'avait pas lâché, veillant sur le seul indice précieux qui pouvait nous mettre sur la piste. Nous le regardons voltiger un moment dans les airs et disparaître complètement dans le bleu du ciel.

Faisant confiance à Coco, heureux d'avoir retrouvé sa liberté, nous nous installons confortablement au milieu de ses plumes et nous nous laissons bercer. Cette enquête menée tambour battant nous a complètement épuisés... Alors que nous allions nous assoupir, notre reine nous secoue et nous fait signe de regarder vers le bas.

Notre forêt est là, magnifique

Dépôt légal : mars 2004 – N° d'éditeur : 2018_1497
Achevé d'imprimer en janvier 2019 par Pollina en France - 88218